ORFF-SCHULWERK

Gunild Keetman

Spielbuch für Xylophon

Im pentatonischen Raum

Band I

für einen Spieler

ED 5576
ISMN 979-0-001-06237-4

Band II
ED 5577
Band III
ED 5578

www.schott-music.com

Mainz · London · Berlin · Madrid · New York · Paris · Prague · Tokyo · Toronto

EINFÜHRUNG

Die Ausweitung des pentatonischen Spielraums über die – durch das mitteleuropäische Kinderlied angeregte – Ruf- und Leiermelodik hinaus will neben Übungsmaterial zur Stabspieltechnik auch Anregungen zum Improvisieren und Erfinden ähnlicher Stücke vermitteln und zeigen, daß unter dem Begriff „Pentatonik“ (in der Musikwissenschaft für alle möglichen Fünftonsysteme, leider in sehr unterschiedlicher Bedeutung verwendet) nicht nur kindertümliche Melodik, sondern ein melodisch wie klanglich in vielfältiger Form verwertbares Feld elementarer Tonalität und Modalität zu verstehen ist.

Die diatonische, halbtonfreie Pentatonik ergibt fünf Skalenformen (Modi)), je nach der Wahl des Haupt- und Zieltones („Finalis“) bzw. der Lage der Ganzton- und Kleinterzintervalle im gewählten Oktavrahmen. Zur Kennzeichnung und Charakterisierung der Modi eignen sich die relativen Solmisationssilben, wie sie heute in der Musikpädagogik Verwendung finden und für die Durskala lauten: do, re, mi, fa, so, la, ti. In der halbtonfreien Pentatonik kommen also die Silben fa und ti, welche die Töne 1 und 4 der Durskala bezeichnen, nicht vor. Die Silbe für den jeweiligen Haupt- und Zielton repräsentiert dann den Modus:

Diese fünf Modi lassen sich, ohne daß in der Notation Vorzeichen nötig werden, in die Räume do=f (also unter Weglassung der Töne e und h) und do=g (ohne c und f) transponieren.
Pentatonische Skalen mit Halbtonintervallen lassen sich bilden, indem andere Tonpaare als 1 und 4 der Durskala, also z. B. 2 und 5 (re und so), 3 und 6 (mi und la) oder 1 und 5 (do und so) ausgespart werden. Eine Transposition dieser Modi aus dem Raum der C-Diatonik hinaus würde allerdings in der Notation Vorzeichen benötigen.

Selbstverständlich lassen sich auch aus solchen Skalentypen je fünf Modi ableiten (Grundform + vier Abwandlungen). Im vorliegenden Spielbuch konnten natürlich nicht alle modalen Möglichkeiten aller Typen ausgeschöpft werden; auch hier möge die schon erwähnte Anregung zum schöpferischen Umgang mit pentatonischem Material in der Auffindung weiterer Modi und Abwandlungsformen im Schüler wie im Lehrer wirksam werden!

Pentatonik der letztgenannten Art (mit Halbtonintervallen) kommt vor allem in außereuropäischen Musikkulturen und Tonsystemen vor. Ihre Eigenart wird vorwiegend durch die (infolge übersprungener Zwischenglieder diatonischer Bezüge) stärker hervortretende und verselbständigte Spannung der Übermäßigen Quarte („Tritonus") und ihrer Umkehrung, der Verminderten Quint, bestimmt.

Neben Sopran-, Alt- und Baßxylophon (auf letzterem können auch alle für Altxylophon gesetzten Stücke gespielt werden) wird in dem 3. Teil dieses Spielbuches (erstmalig im Schulwerk) das den Umfang von Sopran- und Altxylophon vereinigende „Große Xylophon" verwendet, das sich besonders gut auch für vierhändiges Spiel eignet.

Die Modi, welche den Stücken zugrunde liegen, werden in der gezeigten Art (weißer Notenkopf für den Hauptton, schwarze Notenköpfe für die übrigen Töne) unter Beschränkung auf die fünf Skalentöne (ohne Oktavton und Kennzeichnung des Umfangs der Tonhöhenbewegung, der sich ja leicht und schnell durch Feststellung des höchsten und tiefsten Tones im Stück bestimmen läßt) gekennzeichnet. Dies möge das Erhören und Erkennen der tonalen Struktur der grundlegenden Materialordnung für die Stücke und für eigene Improvisationsübungen erleichtern und fördern.

Ein Wort noch zu den Übungen „Zum Stabspiel zu singen" bzw. „Begleitung zum Singen": gemeint ist natürlich das eigene Singen des Spielenden; diese Vokalisen sind als leises Vor-sich-hin-Singen oder -Summen gedacht. Wenn der notierte Tonhöhenumfang da und dort den Normalbereich einer Chorstimmgattung überschreitet, so ist an jene zwanglose Stimmgebung zu denken, bei der verschiedene Register (Brumm-, Brust-, Kopf-, Fistelstimme usw.) ohne die für den Kunstgesang verbindlichen Ausgleichbestrebungen nacheinander und wechselweise verwendet werden können. Selbstverständlich sollen auch diese Stücke zum Improvisieren von Varianten oder neuen Vokalisen zur eigenen Stabspielbegleitung anregen.

Wilhelm Keller

I

Ohne Halbtonintervalle

la do re mi so
5
la do re mi so
6
1.
2.
re mi so la do
7
mi so la do re
8
f

do re mi so la
9
mi so la do re
10
fine
d. c. al fine
f
p
mi so la do re
11
p
f
p
f
re mi so la do
12
re mi so la do
13

mi so la do re
14
mi so la do re
15
p
poco f
poco f
p
f
la do re mi so
16
1.
2.
fine
d. c. al fine

la do re mi so
17
re mi so la do
18
so la do re mi
19
la do re mi so
Rubato
20

do = f (ohne e und h)
do re mi so la
21
fine
d. c. al fine
do re mi so la
leggiero
22
fine
d. c. al fine
re mi so la do
23
fine
d. c. al fine

la do re mi so
Allegro
24
1.
2.
la do re mi so
Calmo
25
1.
2.
fine
Rubato
animato
3
d. c. al fine

do = g (ohne c und f)
la do re mi so
Andante
26
fine
d. c. al fine
la do re mi so
Allegro
27
fine
d. c. al fine
so la do re mi
28
f
p
f
p

la do re mi so
29
la do re mi so
Cantando
30
Vivace
Andante
Vivace

II

Mit Halbtonintervallen

*) Die Verteilung des Spiels auf beide Hände ist von hier ab nur mehr in einzelnen Fällen angegeben

mi fa so ti do
Rubato
32 Alt-Xyl.
f
più mosso
a tempo
più mosso
a tempo

(ohne c und g)
mi fa la ti re
Allegro
33
Alt-
Xyl.
f
p
pp
f
pp
cresc.
pp
(ohne d und g)
mi fa la ti do
Rubato
34
Alt-
Xyl.
Mosso

f
p
Rubato
(ohne e und a)
so ti do re fa
Sempre molto rubato
35
Alt-Xyl.
rit.

III
„Zum Stabspiel zu singen“

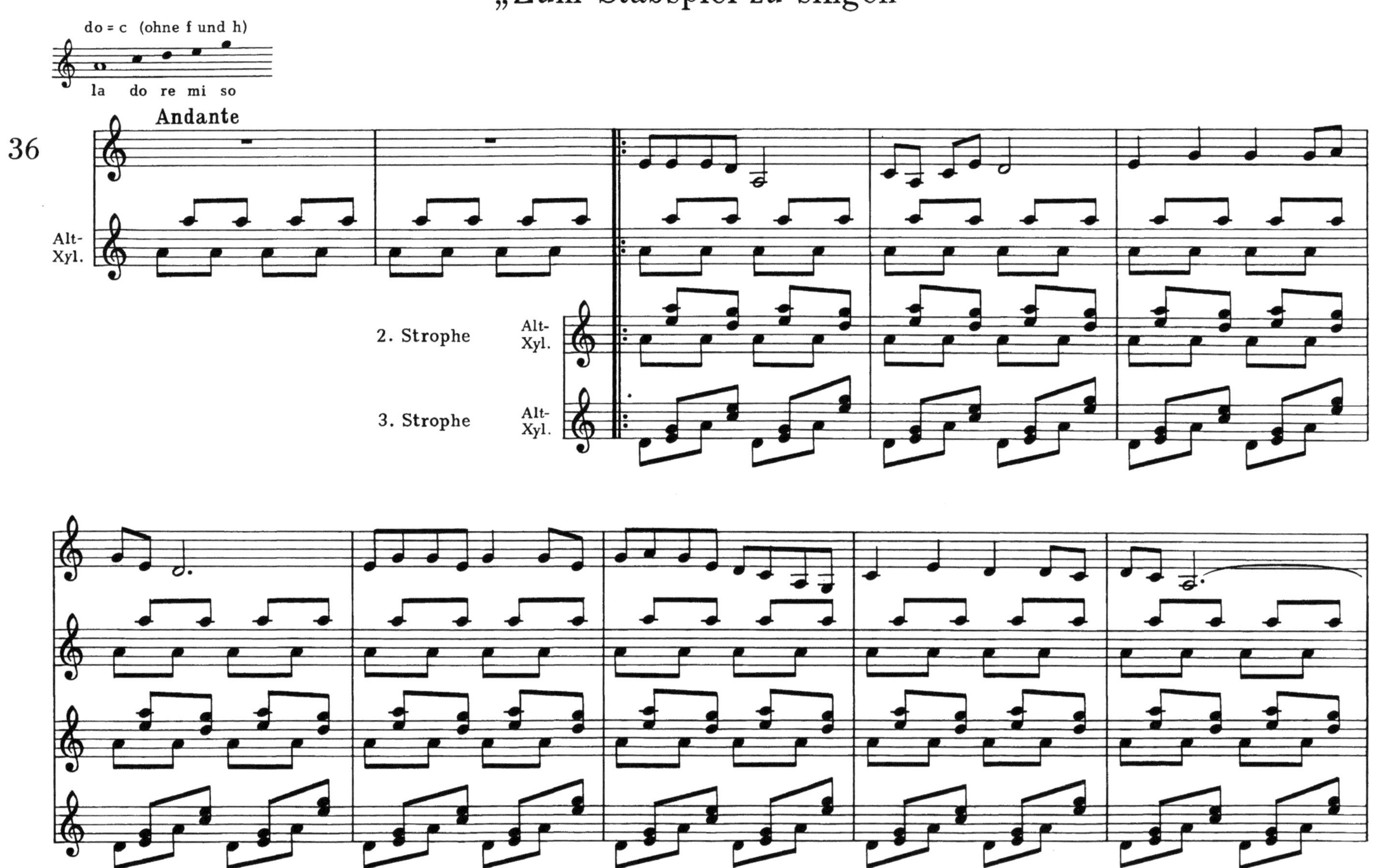

1.
2.
3.
la do re mi so
37
leggiero
Alt-
Xyl.

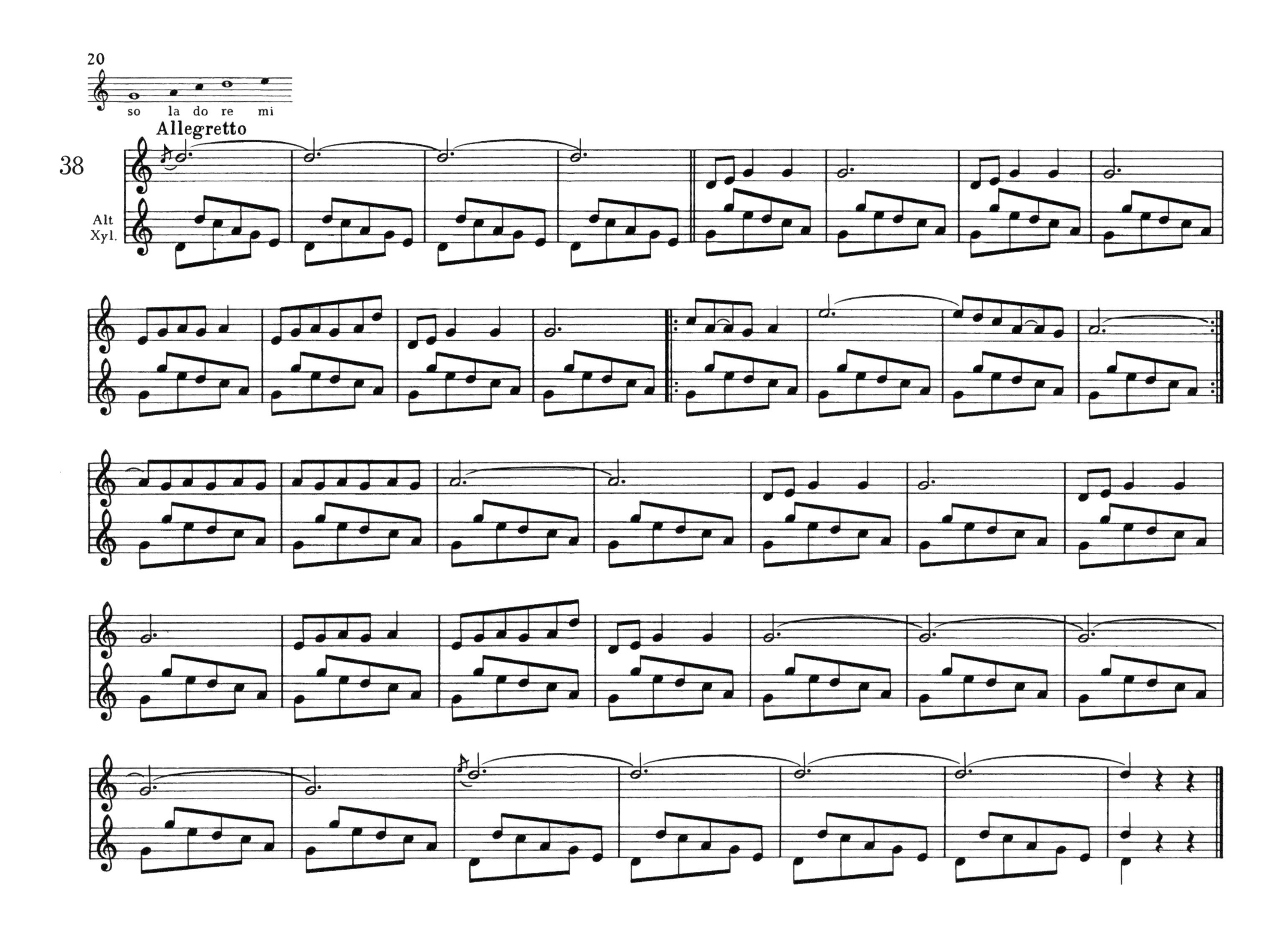
20
so
la
do
re
mi
Allegretto
38
Alt
Xyl.

so la do re mi
39
Allegro
Alt
Xyl.
1.
2.

mi so la do re
Tenere
40
Alt Xyl.
dolce

do = f (ohne e und h)
la do re mi so
41
Moderato
Alt
Xyl.
pp

la do re mi so
42
Mosso
Alt
Xyl.
1.
2.

do re mi so la
43
Allegretto sereno
Alt Xyl.

la do re mi so
Corrente
44
Alt
Xyl.

do re mi so la
Corrente
45
Alt
Xyl.

do=g (ohne c und f)
do re mi so la
46
Vivace
Alt
Xyl.

do re mi so la
47
Cullando
Alt
Xyl.
p
p

la do re mi so
Scherzando
48
Alt
Xyl.

la do re mi so
Tenere
49
Alt
Xyl.
p
p

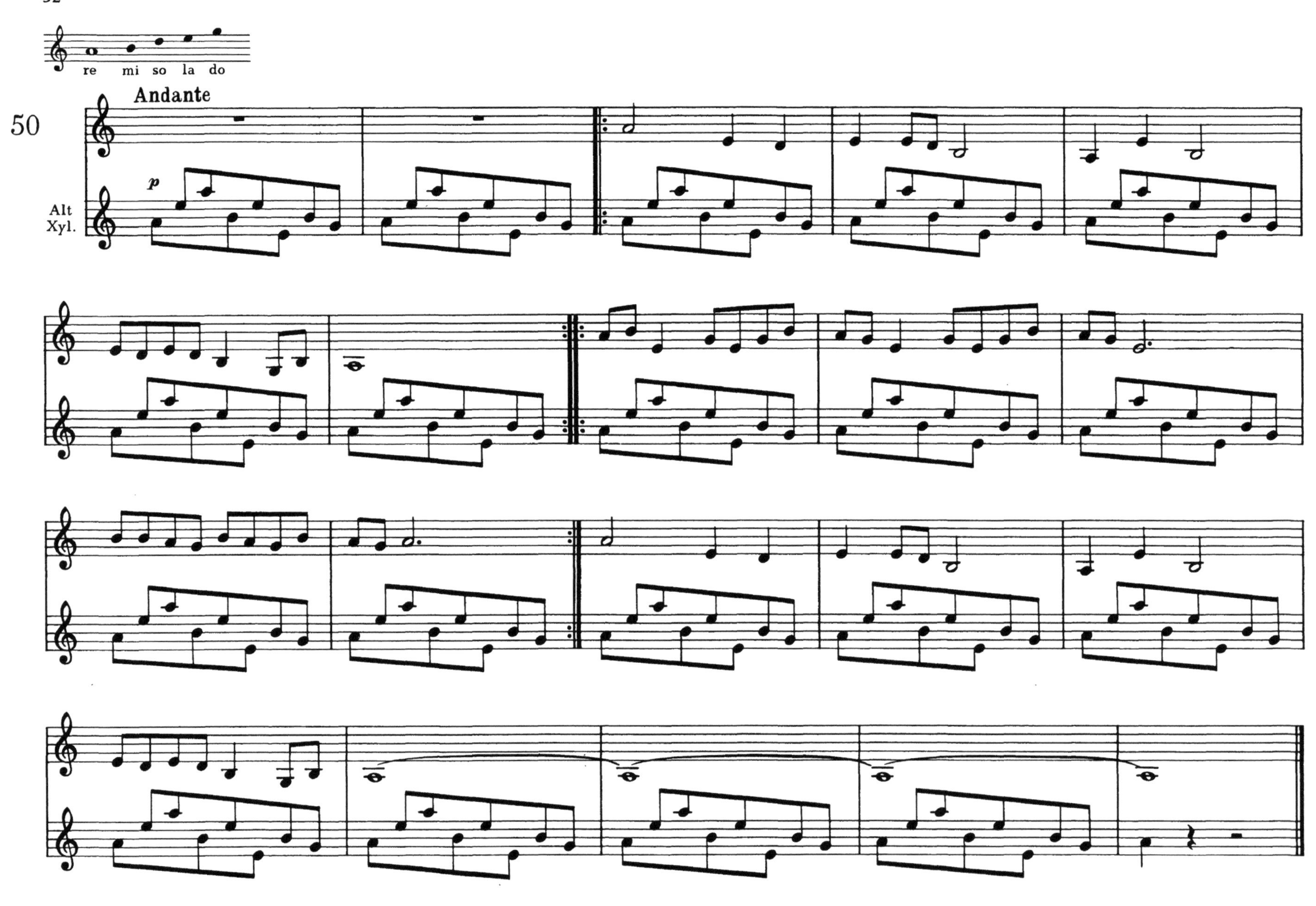
re mi so la do
50
Andante
p
Alt
Xyl.

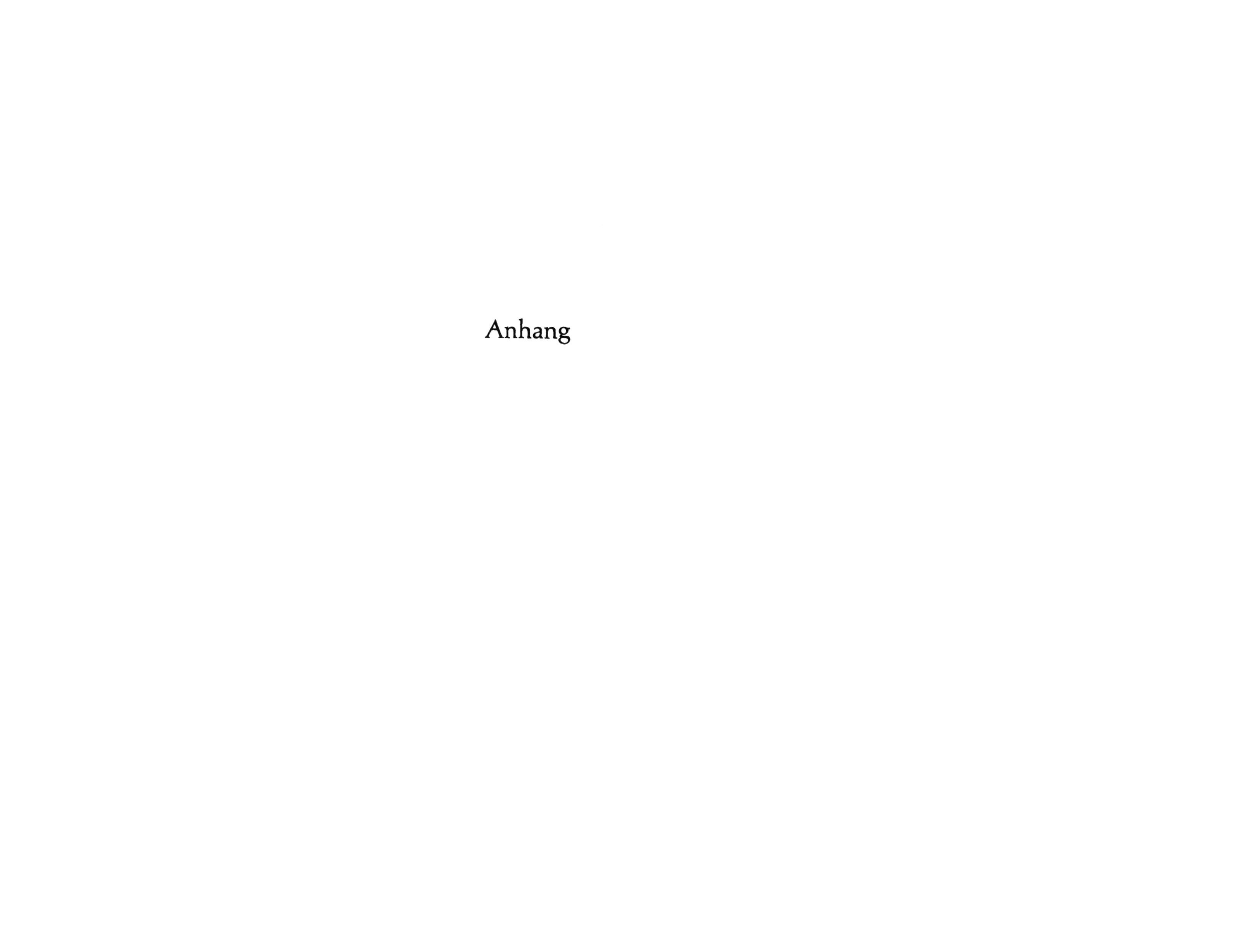

Anhang

Die Verteilung der Melodienoten bei den ersten Stücken auf rechte ♩ und linke ♩ Hand sind als Hinweise und *mögliche* Lösungen zu verstehen, die vom Spieler durch eigene Versuche erweitert werden sollen. Bei späteren Stücken mit fortgeschrittener Spieltechnik sind diese Hinweise nicht immer gegeben, hier hat der Spieler sich seine eigene Spielweise zurechtzulegen.

Einzelne einstimmige Stücke eignen sich für eine bordunartige Ostinatobegleitung.

Die folgenden Begleitungen für die linke Hand sind durchgehend, gegebenenfalls ist der Schluß an die Melodie anzupassen.

Auch umgekehrt zu spielen, d.h. die Melodie mit der linken Hand und alle Begleitrhythmen mit der rechten Hand auf dem hohen a.

Alle Begleitungen von Beispiel a) und b) sind zunächst so zu verwenden, daß sie von einem zweiten Spieler ausgeführt werden, dann in Oktaven vom Spieler selbst, während er die Melodie dazu singt, und erst zum Schluß in der oben angegebenen Form, also beidhändig.